Patriotismo

Yukio Mishima

TRADUÇÃO DO JAPONÊS: Jefferson José Teixeira

autêntica

だけの人も、この二人の美男美女ぶりに改めて感嘆の声を洩らした。軍服姿の中尉は軍刀を左手に突き右手に脱いだ軍帽を提げて、雄々しく新妻を庇って立っていた。まことに凛々しい顔立ちで、濃い眉も大きくみひらかれた瞳も、青年の潔らかさといささぎよさをよく表わしていた。新婦の白い裲襠姿の美しさは、例えん方もなかった。やさしい眉の下のつぶらな目にも、ほっそりした形のよい鼻にも、ふくよかな唇にも、艶やかさと高貴とが相映じている。忍びやかに裲襠の袖からあらわれて扇を握っている指先は、繊細に揃えて置かれたのが、夕顔の蕾のように見えた。

二人の自刃のあと、人々はよくこの写真をとりだして眺めては、こうした申し分のない美しい男女の結びつきは不吉なものを含んでいがちなことを嘆いた。事件のあとで見ると、心なしか、金屏風の前の新郎新婦は、そのいずれ劣らぬ澄んだ瞳で、すぐ目近の死を透かし見ているように思われるのであった。

二人は仲人の尾関中将の世話で、四谷青葉町に新居を構えた。新居と云っても、小さな庭を控えた三間の古い借家で、階下の六畳も四畳半も日当りがわるいので、二階の八畳の寝室を客間に兼ね、女中も置かずに、麗子が一人で留守を守った。

新婚旅行は非常時だというので遠慮をした。二人が第一夜を過したのはこの家であった。床に入る前に、信二は軍刀を膝の前に置き、軍人らしい訓誡を垂れた。軍人の

1

Em 28 de fevereiro de 1936 (ou seja, no terceiro dia após o Incidente de Vinte e Seis de Fevereiro), o tenente Shinji Takeyama, a serviço no Primeiro Regimento de Infantaria da Guarda Imperial, preocupava-se com seus companheiros mais próximos, que desde a eclosão do incidente haviam se posicionado do lado das tropas insurgentes, e, absolutamente indignado com as circunstâncias que conduziriam ao inevitável choque entre o exército imperial e suas próprias fileiras, suicidou-se por esventramento usando seu sabre militar num cômodo de oito tatames em sua residência, situada no sexto quarteirão de Aoba, distrito de Yotsuya, tendo sido acompanhado pela esposa, Reiko, que também se sacrificou usando a própria adaga. Na nota mortuária do tenente constava apenas que ele desejava "Longa Vida ao Exército Imperial", e na da esposa, após se escusar pela falta de piedade filial por morrer antes dos pais, estava escrito que "como esposa de um militar, o dia que deveria chegar finalmente chegara". Havia algo nos momentos derradeiros desse casal heroico que faria prantear deuses e demônios. A propósito, ao morrer o tenente contava trinta anos, sua esposa, vinte e três, e nem meio ano decorrera desde sua cerimônia de casamento.

2

Tanto os convivas na cerimônia de casamento do tenente Takeyama, obviamente, quanto os que apenas viram as fotos da celebração que lhes foram mostradas deixavam escapar exclamações de admiração pela beleza do casal. De pé, fardado, o tenente resguardava a esposa com viril galhardia, a mão esquerda apoiada sobre o sabre militar e a direita segurando o quepe que tirara da cabeça. Suas feições eram realmente garbosas, e tanto as sobrancelhas espessas quanto os olhos muito abertos expressavam bem a pureza e a virilidade da juventude. A beleza da noiva em seu longo vestido branco era incomparável. Sedução e refinamento entrelaçavam-se em seus olhos arredondados abaixo das sobrancelhas delicadas, no formoso nariz de formato delgado e nos lábios carnudos. As pontas dos dedos da mão, que despontava sorrateiramente para fora da manga do longo vestido, segurando um leque, alinhavam-se delicadamente, à semelhança de um botão de flor-da-lua.

Após o duplo suicídio, as pessoas costumavam pegar a foto e, ao contemplá-la, lamentavam o fato de a união entre um homem e uma mulher tão belos e perfeitos ser propensa a carregar infortúnios. Vendo a foto após o ocorrido, tinha-se a leve impressão de que os noivos postados defronte ao biombo dourado observavam fixamente a morte diante deles, ambos com os olhos irradiando idêntica serenidade.

Graças ao auxílio do tenente-general Ozeki, intermediador do matrimônio, o casal se estabelecera em sua nova residência em Aoba, distrito de Yotsuya. Talvez não fosse apropriado chamá-la de nova residência, por se tratar de uma antiga casa alugada de três quartos e guarnecida de um modesto jardim. Por haver pouca incidência de luz solar nos cômodos de seis e de quatro tatames e meio no térreo, o de oito tatames no andar superior fazia as vezes de dormitório e sala de visitas, e, sem empregada doméstica, Reiko se ocupava sozinha das tarefas na ausência do marido.

Dado o momento excepcional, decidiram renunciar à viagem de núpcias. Passaram a primeira noite de casados nessa casa. Antes de irem para a cama, Shinji repousou seu sabre diante dos joelhos e fez à esposa uma exortação ao estilo militar. A esposa de um soldado deve estar constantemente ciente de que o marido poderá morrer a qualquer momento. Pode ocorrer amanhã. Talvez depois de amanhã. E perguntou se ela teria disposição para manter a presença de espírito não importando quando isso acontecesse. Reiko se levantou, abriu a gaveta da cômoda, retirou a adaga que ganhara da mãe, o item mais importante de seu enxoval, e, sem dizer uma palavra, colocou-a diante dos próprios joelhos, à semelhança do que fizera o marido. Firmava-se assim um admirável acordo tácito, e o tenente não mais haveria de pôr à prova a convicção da esposa.

Alguns meses após o casamento, a beleza de Reiko se refinara, tornando-se nítida como a lua após a chuva.

Por serem ambos dotados de corpos realmente saudáveis e jovens, a intimidade entre eles era intensa, e não somente à noite. Frequentemente, ao retornar à casa, o tenente compelia de imediato a esposa para a cama, impacientando-se até pelo tempo gasto em despir a farda coberta da poeira na volta dos treinos militares. Reiko também respondia bem a esses avanços. Aproximadamente um mês após a primeira noite, ela descobriu a felicidade e, constatando isso, o tenente também se regozijou.

O corpo de Reiko era de uma brancura solene, e, embora seus seios túrgidos expressassem bem a castidade de uma forte recusa, uma vez consentindo, esses seios transbordavam da tepidez aconchegante de um ninho. Até na cama o casal era de uma seriedade cerimoniosa e amedrontadora. Era sério mesmo em meio à loucura mais ardente da paixão.

Durante o dia, o tenente pensava na esposa nas curtas pausas entre os treinos, e Reiko não cessava de buscar a cada instante em sua mente a imagem do marido. Porém, mesmo sozinha, ao olhar as fotos do casamento, sua felicidade era confirmada. Reiko já não se surpreendia com o fato de um homem que até alguns meses antes não passava de um completo desconhecido ter se tornado o sol de todo o seu mundo.

Tudo isso tinha um fundamento moral e observava a exigência contida no Decreto Imperial sobre a Educação que pregava que "o casal deve viver em harmonia". Reiko jamais contradissera o marido, e o tenente, por sua vez, nunca encontrara motivos para admoestar a esposa. O oratório do andar térreo ostentava, ao lado de um amuleto do Grande Santuário de Ise, a foto de Suas Majestades Imperiais diante da qual o tenente, todas as manhãs antes de sair para o quartel, executava uma longa reverência acompanhado da esposa. A água ofertada era trocada a cada manhã, e o ramo de sakaki era mantido sempre brilhante e fresco. Suas vidas eram protegidas pela força solene dos deuses e, além do mais, transbordavam de um prazer capaz de fazer tremer seus corpos por inteiro.

3

Embora a residência do Lorde da Chancela Privada Saito se localizasse nas vizinhanças, nenhum dos dois ouviu os disparos na manhã de 26 de fevereiro. Somente quando a tragédia de dez minutos terminou é que o sono do tenente foi interrompido pelo clarim, conclamando à reunião, que se fez ouvir em meio à manhã ainda escura e nevoenta. O tenente se levantou de sobressalto e sem pronunciar uma palavra vestiu a farda, afivelou à cintura o sabre entregue pela esposa e saiu apressado pelo caminho coberto de neve ainda antes do amanhecer. E não retornou até o entardecer do dia 28.

Mais tarde, pelo rádio, Reiko soube de toda a extensão daquele incidente repentino. Passou os dois dias subsequentes sozinha, de portas trancadas e em completo silêncio.

Reiko já lera no rosto do tenente a determinação de morrer, quando ele partiu calado e às pressas na manhã coberta de neve. Caso o marido não retornasse vivo, estava decidida a seguir seus passos. Calmamente, arrumou seus pertences. Deixaria alguns quimonos formais de recordação para amigas dos tempos de escola e escreveu no papel que envolvia cada peça seus nomes e endereços. O marido lhe dizia com frequência que ela não deveria pensar no amanhã e, por isso, Reiko não mantinha um diário, tendo perdido assim o prazer de reler diligentemente as anotações de sua felicidade nos últimos meses para em seguida lançá-las ao fogo. Ao lado do rádio havia estatuetas de porcelana: um cão, um coelho, um esquilo, um urso e uma raposa.

Havia também um vasinho e um jarro de água. Eles constituíam as únicas coleções de Reiko, contudo, ela não se sentia à vontade em presentear esses bibelôs a alguém como lembrança. Tampouco considerava ser adequado pedir para que fossem colocados junto dela no caixão. Então, aqueles animaizinhos de porcelana começaram a apresentar uma expressão ainda mais desmotivada e desamparada.

Reiko tomou o esquilo nas mãos e o observou. E então, para muito além dessa sua afeição pueril, voltou seus pensamentos para os princípios que, como um sol, o marido personificava. Apesar da felicidade que experimentava por estar destinada à morte, conduzida por aquela carruagem brilhante como o sol, naquelas breves horas de solidão ela se permitiu desfrutar do apego ingênuo a insignificâncias. Porém, fora-se o tempo em que ela realmente amara aqueles objetos. Agora apenas se comprazia em relembrar esse amor passado, e seu coração se preenchia de emoções mais intensas, de uma paixão mais alucinada...

Além do mais, Reiko nunca chamara de prazer ou algo que o valha os excitantes deleites da carne, diurnos e noturnos, quando pensava neles. Em meio ao frio de fevereiro, o toque gelado do esquilo de porcelana anestesiava os delicados dedos de sua mão; mas mesmo então, ao pensar sobre o instante em que os braços vigorosos do tenente se estendiam em sua direção, Reiko sentiu, por debaixo do seu quimono de seda meisen, de repetido padrão na orla frontal, que ela vestia com esmero, a umidade tépida da polpa de uma fruta derretendo a neve.

A ideia da morte pairando em sua mente não a assustava em absoluto, e, enquanto esperava sozinha em casa, acreditava que tudo o que o marido sentia e imaginava naquele momento, sua amargura, seu sofrimento e seus pensamentos, a conduziria a uma morte tão prazerosa quanto era o corpo dele. Imaginou que seu corpo também poderia facilmente se fundir em qualquer fração dos pensamentos dele.

Ouvindo as notícias intermitentes no rádio, Reiko tomou conhecimento de que os nomes de vários companheiros próximos do marido estavam entre os dos insurgentes. Eram notícias de mortes. Soube em detalhes que a situação se tornava a cada dia mais irreversível, ignorando-se quando seria promulgado um edito imperial. E o que a princípio fora visto como um levante para restaurar a honra da nação, passou a ser tachado ignominiosamente de rebelião. Não havia contato por parte do regimento. Impossível prever quando a luta começaria nas ruas da cidade, onde a neve ainda se acumulava.

Ao cair da noite do dia 28, Reiko se assustou ao escutar o som de batidas violentas na porta de entrada. Apressou-se até lá e, com mãos trêmulas, tentou girar o trinco. A sombra do outro lado do vidro martelado permanecia em silêncio, mas ela não tinha dúvidas de que era o marido. Nunca sentira tanta resistência no trinco da porta de correr. Ele não obedecia a sua mão, e a porta se recusava a abrir.

Quase mais rápido que o tempo de abertura da porta, o tenente se pôs sobre o chão de cimento do vestíbulo, envolto em um sobretudo cáqui e com os pés enfiados no pesado coturno sujo da lama formada pela neve. Ao fechar a porta de correr, ele girou de novo o trinco. Reiko não entendeu o significado desse gesto.

"Bem-vindo de volta."

Reiko executou uma longa reverência, mas o tenente não retribuiu. Ele desafivelou o sabre e, como começava a retirar o sobretudo, Reiko deu a volta por trás para ajudá-lo. O casaco frio, úmido, e que perdera o odor de estrume de cavalo que tinha quando exposto ao sol, lhe pesava no braço. Ela o pendurou em um cabide, abraçou o sabre e entrou na sala de estar acompanhando o marido, que descalçara o coturno. Era o cômodo de seis tatames do andar térreo.

Sob a luz clara da lâmpada, o rosto do marido, coberto pela barba por fazer, se mostrava irreconhecível, de tão macilento. As bochechas pendiam, tendo perdido o brilho e a rigidez. Quando retornava à casa bem-humorado, ele costumava se trocar de imediato e cobrava da esposa o jantar, mas agora permanecia sentado diante da mesinha baixa, de pernas cruzadas e abatido, sem tirar a farda. Reiko absteve-se de perguntar se devia ou não preparar o jantar.

Passado algum tempo, o tenente falou.

"Eu não sabia. Eles não me convidaram.

Provavelmente tiveram essa consideração por eu ser recém-casado. Kano, Honma e Yamaguchi."

Vieram à lembrança de Reiko os rostos dos vigorosos jovens oficiais, amigos do marido que frequentavam a casa.

"Provavelmente amanhã baixarão o edito imperial. Eles devem ser tachados de rebeldes. Serei obrigado a comandar uma unidade para lutar contra eles... Não posso. Não tenho condição de fazer algo assim."

E acrescentou:

"Recebi ordem de me revezar na guarda e me deram permissão para retornar à casa apenas por esta noite. Amanhã pela manhã certamente terei de sair para atacá-los. Não posso fazer algo semelhante, Reiko."

Sentada em posição ereta, Reiko mantinha os olhos abaixados. Entendera claramente que o marido anunciava a própria morte. O tenente já se decidira. Cada palavra, enraizada na morte, destacava uma força difícil de ser demovida, enfatizando uma solidez obscura. Embora o tenente exprimisse seu desassossego, não havia nele qualquer hesitação.

Entretanto, no silêncio que se interpôs entre eles, havia uma limpidez semelhante à do curso de água formado pela neve derretida. Ao final de dois dias de longa angústia, pela primeira vez ele experimentava serenidade de espírito, em casa, sentado de frente para a linda esposa e admirando o rosto dela. Pois percebera de imediato que a esposa tinha adivinhado a decisão por trás das palavras dele, mesmo nada tendo sido dito.

"Ouça bem", disse sério o tenente, encarando pela primeira vez a esposa, abrindo os olhos límpidos e viris apesar das noites insones, "esta noite eu cometerei haraquiri."

O olhar de Reiko não denotava qualquer sinal de hesitação.

Seus olhos arredondados estavam tão tensos quanto o forte badalar de um sino.

E ela afirmou:

"Estou preparada. Peço permissão para acompanhá-lo."

O tenente se sentiu praticamente pressionado pela força daqueles olhos. Suas palavras afluíam com rapidez e desenvoltura, como num delírio, e ele não compreendia como uma permissão tão importante podia ser expressa de forma tão displicente.

"Muito bem. Iremos juntos. Porém, quero que você testemunhe meu haraquiri. Concorda?"

Ao terminar de dizer isso, uma forte alegria, subitamente liberada, jorrou no coração de ambos. Reiko se sentiu comovida pela enorme confiança que o marido depositava nela. Para o tenente, não importava o que houvesse, nada deveria interferir em sua morte. Portanto, era imprescindível ter alguém para testemunhá-la. Escolher a esposa para essa função era a primeira prova de sua confiança. A segunda prova, ainda maior, era não matá-la, apesar do compromisso de morrerem juntos, postergando seu fim para quando ele não mais pudesse confirmá-lo. Fosse o tenente um marido desconfiado, certamente escolheria matar primeiro a esposa, como ocorre comumente nos casos de duplo suicídio amoroso.

O tenente sentiu que a palavra "acompanhar", dita por Reiko ao chegarem àquela circunstância, fora o resultado do ensino substancial que ele ministrara à esposa, orientando-a desde a noite de núpcias, o que a levou a pronunciá-la sem qualquer hesitação. Isso reconfortava a autoestima do tenente, que não era um marido com uma presunção estúpida a ponto de imaginar que o amor por ele a levara a pronunciar espontaneamente tais palavras.

Com a alegria aflorando em seus corações, eles se entreolharam e sorriram espontaneamente um para o outro. Reiko sentiu-se transportada de volta à noite de núpcias.

Era como se diante de seus olhos um prado destituído de sofrimento ou morte se estendesse livre e amplo.

"A água da banheira está quente. Vai entrar?"

"Sim, claro."

"E o jantar?"

Essas palavras cotidianas, proferidas de forma tão simples, quase fizeram o tenente entrar em um estado alucinatório.

"Creio que o jantar não será necessário. Poderia esquentar o saquê?"

"Posso sim."

Reiko se levantou e, no momento em que retirou da cômoda o quimono de inverno para quando o marido terminasse o banho, a atenção dele se voltou para a gaveta aberta. O tenente levantou-se, caminhou até a cômoda e olhou para dentro da gaveta. Leu os nomes e endereços escritos no papel que envolvia cada uma das peças postas em ordem. Ao ver essa prova de corajosa determinação, ele não se sentiu nem um pouco triste: em vez disso, seu coração se encheu de ternura. Assim como o marido a quem uma jovem esposa mostra suas compras pueris, dominado pelo carinho, o tenente abraçou a esposa por trás e lhe beijou a nuca.

Reiko sentiu cócegas com a barba por fazer do tenente lhe roçando a pele. Essa sensação, mais do que apenas algo deste mundo, era para ela a própria realidade. E o sentimento de que em breve iria perdê-la a revestia de supremo frescor. Cada momento se imbuía de uma força animadora, e ela sentia um novo despertar em todos os cantos de seu corpo. Reiko se pôs na ponta dos pés cobertos por meias e recebeu as carícias do marido posicionado atrás dela.

"Depois do banho e de beber saquê... bem, o que acha de arrumar a cama no andar de cima?", o tenente sussurrou em seu ouvido. Reiko assentiu em silêncio.

Ele se livrou da farda rapidamente e entrou na banheira. Enquanto ouvia o som distante do chapinhar da água, Reiko cuidava do fogo no braseiro da sala de estar e iniciava os preparativos para aquecer o saquê.

Ela se dirigiu até a sala de banhos levando o quimono de inverno, a cinta e a roupa de baixo, e perguntou se a temperatura da água estava boa. Em meio ao vapor que se espalhava, pôde divisar de forma imprecisa o tenente sentado de pernas cruzadas, barbeando-se, e o movimento rápido da carne de suas musculosas costas molhadas acompanhando o ir e vir do braço.

Não havia ali nada que sugerisse um horário específico. De pé, Reiko executava apressadamente suas tarefas, preparando de improviso um petisco para acompanhar a bebida. Sem tremer as mãos, conseguiu dar conta de tudo com mais agilidade e eficiência do que o usual. Mesmo assim, por vezes lhe vinha uma estranha palpitação no fundo do peito. Como um raio longínquo, surgia num relance e com intensidade para, logo em seguida, desaparecer. Fora isso, tudo permanecia como de costume.

Enquanto se barbeava, o tenente sentia o corpo aquecido e recobrado do cansaço provocado por aquele tormento desesperador, e, apesar de ter a morte diante de si, estava repleto de uma agradável expectativa. Ouvia vagamente os sons da esposa trabalhando. Com isso, um saudável desejo, esquecido durante dois dias, reemergiu.

Estava convicto de que não havia qualquer impureza, por menor que fosse, na alegria que sentiram ao decidirem morrer. Era evidente que os dois não estavam conscientes disso naquele momento, mas sentiam que os prazeres legítimos que compartilhavam na intimidade estavam mais uma vez sob a proteção da justiça, do poder divino e de uma completa e impecável moral. Entreolharam-se ao descobrir nos olhos do outro a morte honrosa, voltaram a se sentir envolvidos por uma parede de ferro indestrutível, como se portassem uma armadura impenetrável de beleza e justiça. Portanto, além de não ver incoerências ou contradições entre sua compulsão carnal e a sinceridade de seu patriotismo, o tenente, ao contrário, era capaz de considerá-los inseparáveis.

Barbeou-se com cuidado, fitando-se no espelho de parede escuro, trincado e embaçado pelo vapor. Aquele seria seu rosto mortuário. Não deveria deixar fiapos de barba que denotassem má aparência. O rosto escanhoado voltou a apresentar um ar jovem e luminoso a ponto de clarear o espelho escuro. Na verdade, havia certa elegância na ligação entre esse rosto radiante e saudável e a morte.

Aquele seria seu rosto mortuário, sem retoques! Para ser exato, metade dele já deixara de lhe pertencer e se tornara o busto colocado sobre a lápide de um soldado morto. Experimentou fechar os olhos. Tudo estava envolto na escuridão e ele deixara de ser um homem capaz de enxergar.

Saindo do banho, o tenente sentou-se de pernas dobradas ao lado do braseiro bem aquecido, com o brilho azulado da barba feita nas faces reluzentes. Notou que, embora atarefada, Reiko ajeitara rapidamente o rosto. Suas faces ganharam brilho, seus lábios estavam mais úmidos, e não se via nela qualquer sombra de tristeza. Vendo essa prova de vigorosa personalidade da jovem esposa, ele sentiu que havia de fato escolhido a pessoa certa para se casar.

Tão logo terminou de beber o saquê, o tenente ofereceu a taça a Reiko. Sem jamais ter tomado saquê, ela a recebeu com docilidade e, acanhada, a levou aos lábios.

"Venha até aqui," chamou o tenente.

Reiko foi até o marido, inclinou-se sobre o tórax dele, foi abraçada. Sentiu o peito se agitar com violência, como se as sensações de tristeza e júbilo se misturassem ao forte saquê. O tenente contemplava a face da esposa logo abaixo da sua. Aquele era o último rosto humano que veria neste mundo, o último rosto feminino. O tenente perscrutou cada detalhe da fisionomia da esposa com o olhar que um viajante devotaria à linda paisagem de uma terra à qual jamais retornaria. O belo rosto que não se cansara de admirar, de traços regulares mas destituídos de frieza, os lábios vagamente cerrados por uma leve pressão. Num impulso, o tenente beijou aqueles lábios. De repente, mesmo que o rosto dela não apresentasse nenhuma distorção causada por soluços desagradáveis, ele percebeu que gotas de lágrimas brilhantes escorriam do canto de seus olhos fechados, uma após outra, em abundância, a partir da sombra dos longos cílios.

Instantes depois, o tenente sugeriu irem para o dormitório no andar superior, e a esposa prometeu ir logo após o banho. Ele então subiu sozinho e entrou no cômodo morno graças ao aquecedor a gás, deitou-se de costas, com os braços e as pernas bem abertos e estendidos à maneira de um polichinelo. E, como de costume, esperou nessa posição até o momento da chegada da esposa.

Cruzou as mãos por detrás da cabeça e contemplou as tábuas escuras do teto que a luz do abajur não alcançava. Esperava ele pela morte ou pela alegre loucura dos sentidos? Ambas pareciam se sobrepor, e podia sentir como se seu desejo se encaminhasse em direção à morte. Seja como for, era certo que o tenente não experimentara até então tamanha liberdade por todo o corpo.

O barulho de um carro soou para além da janela. Ouviu-se o guincho dos pneus derrapando sobre a neve acumulada a um canto da rua. O som da buzina reverberou nos muros próximos... Percebendo esses ruídos, tinha a sensação de que apenas sua casa reinava como uma ilha solitária em meio ao mar de uma sociedade em um constante ir e vir apressado. O país a quem ele devotava lealdade se espalhava ao redor dessa casa. Ele ia oferecer a vida pelo país. Contudo, questionava se aquele imenso país, pelo qual ele estava disposto a corrigir seus erros a ponto de aniquilar a própria vida, realmente reconheceria seu sacrifício. Não sabia, e isso não importava. O seu era um campo de batalha sem magnificência, a trincheira do espírito, onde ninguém podia mostrar suas façanhas.

Os passos de Reiko subindo a escada se fizeram ouvir. Os degraus íngremes da velha residência rangiam muito. E traziam ao tenente as lembranças das muitas vezes em que ouvira esses doces ruídos enquanto aguardava, deitado na cama. Ao pensar que nunca mais os escutaria, concentrou sua atenção neles e tentou preencher por inteiro cada valioso instante com os rangidos emitidos pelas solas macias dos pés da esposa. Assim, o tempo se tornou uma joia resplandecente.

Reiko usava um yukata, preso com uma faixa de cintura Nagoia, de um vermelho escurecido sob a parca luminosidade. Quando o tenente tocou a faixa, as mãos de Reiko ajudaram, a faixa se afrouxou e tombou rapidamente sobre o tatame. O tenente inseriu ambas as mãos pelas aberturas laterais do yukata que a esposa ainda vestia para abraçá-la. Mas quando seus dedos tocaram a carne quente e nua, e quando as axilas se fecharam suavemente sobre suas mãos, seu corpo inteiro se inflamou.

Antes mesmo que se dessem conta, os dois estavam nus diante da chama do aquecedor.

Embora permanecessem mudos, seus corações, seus corpos e seus peitos ofegantes ardiam com a consciência de que aquela seria sua última vez. Era como se as palavras "última vez" estivessem gravadas com tinta nanquim invisível por todas as partes de seus corpos.

O tenente abraçou e beijou com ímpeto e veemência a jovem esposa. Suas línguas exploravam cada centímetro do interior úmido e macio das bocas, e eles sentiam que a agonia da morte, cujos sinais ainda não eram perceptíveis, lhes forjava os sentidos como um rubro ferro em brasa. A agonia da morte, que ainda não eram capazes de sentir, a agonia da morte ainda distante refinou-lhes a sensação de prazer.

"Esta é a última vez que verei seu corpo. Deixe-me admirá-lo bem," disse o tenente. E inclinando a cúpula do abajur, ajustou-o de forma que a luz pairasse sobre o corpo estendido de Reiko.

Ela estava deitada de olhos cerrados. A luz débil delineou distintamente os contornos de seu alvo e majestoso corpo. O tenente, de maneira um pouco egoísta, alegrou-se por não ser obrigado a ver aquele lindo corpo se arruinar.

Ele gravou sem pressa na memória a cena inesquecível. Enquanto revolvia com uma das mãos os cabelos da esposa, acariciava de leve o rosto dela com a outra e beijava cada local a que seus olhos chegavam. A começar pela testa serena e fria, os olhos cerrados protegidos pelos longos cílios sob as sobrancelhas finamente desenhadas, o nariz de formato delicado, os dentes luzidios que se entreviam entre os lábios graciosos e encorpados, as suaves bochechas e um pequeno e arguto queixo... Tudo induzia o tenente a imaginar um rosto mortuário verdadeiramente radiante, e por fim ele sugava com sofreguidão, inúmeras vezes, a garganta branca que Reiko logo iria golpear com a adaga, acabando por avermelhá-la. Voltando aos lábios, pressionava com delicadeza os seus contra os dela e fazia movimentos rítmicos, como a oscilação de um barco leve. Ao fechar os olhos, o mundo parecia ter se transformado em um berço de balanço.

Os lábios rastreavam fielmente o que os olhos do tenente viam. Os seios elevados e arfantes, dotados de mamilos semelhantes a botões de flores de cerejeira silvestre, enrijeceram-se ao ser envolvidos pelos lábios dele. A beleza dos braços, que deslizavam suavemente para baixo de cada lado do peito e mantinham seu formato roliço e elaborado ao se estreitarem em direção aos pulsos. E, nas pontas, os dedos esguios que no dia do casamento seguravam um leque. Ao roçar dos lábios do tenente, cada dedo se escondia por trás de sua respectiva sombra, como que envergonhado...

A natural concavidade entre o peito e a barriga se amoldava com uma força resiliente sem perder a suavidade e, a partir desse ponto, prenunciava fartas curvas que se estendiam em direção aos quadris e, a seu modo, expressava um corpo bem-disciplinado, sem qualquer descompostura. A lividez e a magnificência da barriga e da cintura, bem distanciadas da luz, eram como leite transbordando de uma grande tigela, e o umbigo, casto e encovado, parecia um vestígio fresco, cavado com força ali, naquele momento, por um pingo de chuva. Nas partes em que a penumbra se intensificava, os pelos se agrupavam de maneira delicada e, com os movimentos intermitentes do corpo que agora não se acalmava, a fragrância semelhante à de uma flor esturrada se acentuava aos poucos ao redor.

"Mostre-me... Deixe que eu também veja o seu corpo pela última vez," Reiko por fim pediu, num tom de voz inseguro.

Um pedido tão forte e legítimo jamais escapara da boca da esposa: era como se uma discrição dissimulada até o limite jorrasse de repente. Deitado, o tenente assentiu, entregando seu corpo a ela.

Ela ergueu graciosamente o corpo branco que até então se agitava e, excitada com o terno desejo de retribuir ao marido o que ele lhe fizera, acariciou com dois dedos alvos os olhos que nela se fixavam e os cerrou com carinho.

Incapaz de conter a emoção, com o rosto afogueado, corando até as pálpebras, Reiko apertou contra o peito a cabeça de cabelos cortados bem rente do marido. Os fios curtos roçavam pungentes em seus seios, o nariz altivo e gélido do esposo se afundava neles, e sua cálida respiração os aquecia. Afastando-se um pouco, ela contemplou o rosto viril do tenente. As sobrancelhas perfeitas, os olhos cerrados, o dorso saliente do nariz, os belos lábios unidos com firmeza... as faces, com os vestígios azulados da barba recém-feita, brilhavam discretas, refletindo a luz. Reiko beijou cada parte, e também a nuca larga, os ombros fortes e túrgidos, o peitoral robusto como um par de escudos dispostos lado a lado e os mamilos carmins. Um odor adocicado e melancólico emanava do tufo de pelos das axilas dissimuladas à sombra dos flancos musculosos do tórax, e na doçura desse odor estava contida, de alguma forma, a sensação real da morte de um jovem. A pele do tenente tinha um brilho semelhante ao de um campo de trigo, e seus músculos expunham nitidamente, por toda parte, linhas bem delineadas que se estreitavam sob a dobra do abdômen, ao redor do pequeno umbigo. Vendo o abdômen jovem e firme do marido, um ventre modesto, coberto de pelos abundantes, Reiko imaginou como ele acabaria sendo cruelmente dilacerado e o cobriu de beijos enquanto chorava, bastante comovida.

Deitado, ao sentir as lágrimas da esposa se derramando sobre seu ventre, o tenente encontrou em si a coragem para suportar as mais violentas dores do haraquiri.

Não é difícil imaginar o supremo prazer que esse último encontro os fizera experimentar. O tenente levantou-se e envolveu num vigoroso abraço o corpo da esposa, agora exaurido pela tristeza e pelo choro. Os dois juntaram as faces com avidez. O corpo de Reiko tremia. Molhados de suor, seus peitos se colavam, e cada recanto daqueles jovens e belos corpos se unia tão plenamente que parecia impossível que pudessem ser separados. Reiko gritou. Das alturas eles se precipitaram no abismo e, do abismo, tendo obtido asas, se elevaram de volta às ofuscantes alturas. O tenente ofegava como o porta-estandarte de um regimento em uma longa marcha... E, ao concluir um ciclo completo, imediatamente e mais uma vez transbordando de paixão, os dois juntos, sem sinais de cansaço, se elevaram num só fôlego até atingir o clímax.

4

Não foi por estar saciado que depois de um tempo o tenente afastou o corpo. Por um lado, fez isso por recear comprometer o substancial vigor físico de que necessitaria para o haraquiri. Por outro, temia que desejar demais pudesse desvirtuar a doçura dessas últimas lembranças.

Assim que o marido se afastou, Reiko, como de costume, o imitou. Nus, deitados de costas e com as mãos entrelaçadas, os dois fitavam o teto escuro. O suor se esvanecera, mas graças ao calor da chama do aquecedor, não sentiam frio. À noite, a vizinhança era silenciosa, e até o som dos carros cessara. Nem mesmo os ruídos dos trens elétricos da linha governamental e dos bondes municipais nos arredores da estação Yotsuya chegavam até eles, abafados pelo arborizado parque em frente à ampla avenida do Palácio de Akasaka, ecoando apenas na parte delimitada pelo fosso que circundava o palácio. Era difícil crer que, naquele instante, naquela parte de Tóquio, as duas facções das tropas imperiais estivessem se enfrentando.

Deleitando-se no ardor que persistia dentro de si, eles recapitulavam o supremo prazer que haviam acabado de experimentar. Reviviam em suas mentes cada instante, o sabor dos intermináveis beijos, o toque das peles nuas, cada momento de prazer estonteante. Contudo, das tábuas escuras do teto, o rosto da morte já os espreitava. Aquela era a derradeira alegria, que jamais retornaria aos seus corpos. Ambos compartilhavam a ideia de que certamente jamais alcançariam prazer tão intenso mesmo que vivessem por muitos anos.

Logo a sensação das pontas dos dedos entrelaçados também estaria perdida. Até o padrão dos nós nas tábuas do teto escuro que agora contemplavam acabaria desaparecendo. Podiam sentir a morte se aproximando deles, e não deviam desperdiçar o tempo. Com coragem, precisavam se agarrar a essa finitude.

"Bem, vamos nos preparar," disse o tenente.

O tom de suas palavras era nitidamente resoluto, mas Reiko nunca ouvira do marido uma voz tão carregada de ternura e suavidade.

Tarefas urgentes esperavam por eles após se levantarem.

O tenente, que nunca ajudara a esposa na arrumação da cama, abriu de boa vontade a porta de correr do armário e guardou nele o futon que ele próprio carregara.

Reiko apagou o aquecedor a gás e guardou o abajur, e, exceto pela mesa de sândalo vermelho encostada a um canto, o cômodo de oito tatames tinha toda a aparência de uma sala de visitas prestes a receber um importante convidado, pois Reiko o havia arrumado e o deixara agradavelmente limpo enquanto o marido estivera fora.

"Nós bebemos bastante aqui, não foi? Com Kano, Honma e Yamaguchi."

"Eles realmente costumavam se embriagar."

"Muito em breve os encontraremos no mundo dos mortos. Quando a virem comigo, certamente vão caçoar de nós."

Ao descer ao andar térreo, o tenente voltou a olhar o quarto agora limpo, brilhantemente iluminado pela lâmpada do teto. Recordou-se do rosto de cada jovem oficial que bebera, se divertira e, com candura, contara vantagens ali. Nunca imaginaria na época, nem mesmo em sonhos, que um dia estaria cometendo haraquiri nesse aposento.

Nos dois cômodos do andar térreo, o casal se dedicou diligentemente às respectivas tarefas, como o fluir das águas correntes. O tenente se dirigiu ao banheiro e em seguida entrou na sala de banhos para se lavar. Nesse ínterim, Reiko dobrou o quimono de inverno do marido, colocou na sala de banhos a túnica e as calças da farda, juntamente com uma tanga nova alvejada. Pôs lado a lado sobre a mesa baixa da sala de jantar as folhas de papel que usariam para redigir as notas mortuárias, depois retirou a tampa do tinteiro de pedra e friccionou nele o bastão de tinta nanquim. Já se decidira sobre o que escreveria em sua nota mortuária.

Conforme os dedos de Reiko pressionavam as frias letras douradas do bastão, a tinta escorria, indo se acumular na cavidade do tinteiro, toldando-o rapidamente, como se uma nuvem negra se estendesse sobre ele. Ela evitou pensar que a repetição desse gesto, a pressão dos dedos, o leve som do movimento de ir e vir eram todos devotados à morte. Essa corriqueira tarefa doméstica era uma mera forma de desbastar o tempo até que a morte por fim se materializasse diante dela. Entretanto, a sensação da tinta se avolumando, à medida que o bastão era friccionado, e o odor da tinta que se intensificava carregavam em si uma indescritível escuridão.

Limpo, vestindo a farda diretamente sobre a pele, o tenente saiu da sala de banhos. Calado, sentou-se à mesa, apoiado nos calcanhares, e, com o pincel na mão, hesitou diante da folha de papel.

Reiko se dirigiu à sala de banhos carregando um quimono branco. Terminada a purificação, maquiou-se e, ao entrar na sala de estar vestida com o quimono, viu escrito em letras negras, na folha de papel sob a lâmpada, o testamento que dizia apenas: "Longa Vida ao Exército Imperial. Shinji Takeyama, Tenente de Infantaria".

O tenente se mantinha calado, circunspecto, olhando fixamente os movimentos precisos dos alvos dedos da esposa que, manejando o pincel do outro lado da mesa, escrevia sua nota mortuária.

O tenente, portando o sabre, e Reiko, com a adaga inserida na faixa do quimono branco, levaram os testamentos até o oratório, diante do qual, lado a lado, rezaram em silêncio. Ao terminarem, apagaram todas as luzes do andar térreo. No meio da escada, a caminho do andar superior, o tenente se virou para trás e olhou maravilhado a beleza da esposa, que o acompanhava em seu quimono branco, cabisbaixa e envolta na penumbra.

As notas mortuárias foram alinhadas no tokonoma, o espaço decorativo do andar superior. Embora devessem retirar o rolo de pergaminho pendurado ali, decidiram deixá-lo como estava, pois nele constavam dois ideogramas que significavam "devoção", escritos na caligrafia do tenente-general Ozeki, o intermediador de seu casamento. Mesmo que respingos de sangue o manchassem, o tenente-general certamente compreenderia.

O tenente sentou-se sobre os calcanhares e, com as costas voltadas para o tokonoma, pousou o sabre no tatame, diante dos joelhos. Reiko sentou-se aprumada diante dele, mantendo entre os dois a distância de um tatame. Por estar toda de branco, o batom avermelhado em seus lábios se destacava de forma bastante sedutora.

Seus olhares absortos se cruzavam, distanciados pelo tatame que os separava. O sabre jazia diante dos joelhos do tenente. Ao mirá-lo, Reiko recordou-se da noite de núpcias e não pôde dominar a tristeza.

"Como não haverá alguém para me decapitar, devo cortar profundamente. Talvez seja desagradável aos olhos, mas você não deve se assustar. Afinal, a morte é, em qualquer circunstância, algo pavoroso quando observada de fora. Você não deve esmorecer ao presenciá-la. Entende?", falou o tenente com voz contida.

"Sim," assentiu Reiko gravemente.

Ao ver a alva e esbelta figura da esposa, o tenente, que tinha a morte diante de si, experimentou uma estranha excitação. O que ele estava prestes a realizar era um ato público de um militar, algo que nunca havia mostrado à esposa. Tal ato exigia determinação equivalente à da luta decisiva no campo de batalha: era uma morte de natureza igual à da morte no *front*. Ele agora demonstraria à esposa sua conduta no campo de batalha.

Por um instante, esse pensamento conduziu o tenente a uma estranha ilusão. A morte solitária no *front* e a linda esposa diante de seus olhos: havia uma doçura indescritível na sensação de que estava prestes a morrer com um pé em cada uma dessas duas dimensões, materializando a coexistência impossível de ambas. Não seria isso a felicidade suprema?, pensou. Ter cada momento de seu fim sendo observado pelos lindos olhos de sua esposa devia ser como se render à morte ao sopro de uma brisa fragrante. Havia nisso um sabor especial. Ele ignorava o que seria, mas num estado mental desconhecido por outros, uma concessão fora dispensada a ele e a mais ninguém. O tenente pareceu enxergar na bela figura da mulher diante de seus olhos, vestida como uma noiva, a visão resplandecente da casa imperial, da nação e do estandarte do exército, tudo aquilo que amara e a que devotara a vida. Tudo isso, assim como a esposa à sua frente, eram existências que o perscrutavam de todas as partes, mesmo de longe, com olhos sempre límpidos.

Reiko também contemplava a figura do marido que logo morreria, pensando que neste mundo nada haveria de mais belo. A farda militar sempre lhe assentara bem, mas agora, com a morte diante de si, as sobrancelhas intrépidas e os lábios apertados, ele certamente representava a suprema beleza masculina.

"Bem, chegou a hora de irmos," afirmou por fim o tenente.

Reiko curvou o corpo em direção ao tatame numa profunda reverência. Não foi capaz de reerguer o rosto. Embora não desejasse estragar a maquiagem, era impossível conter as lágrimas.

Quando finalmente levantou a cabeça, o que viu, vacilante por entre as lágrimas, foi o marido enrolando um tecido branco na lâmina do sabre desembainhado, deixando descobertos apenas quinze a vinte centímetros na ponta.

Depois de colocar diante dos joelhos o sabre envolto no tecido branco, o tenente sentou-se mais à vontade, de pernas cruzadas, e soltou o gancho do colarinho da túnica. Seus olhos não viam mais a esposa. Devagar, desabotoou um a um os botões de latão liso. O tórax levemente escuro foi revelado e, em seguida, o abdômen. Desafivelou o cinto e desabotoou a calça. Quando o branco puro da tanga se mostrou, o tenente a abaixou com ambas as mãos para liberar ainda mais a barriga e, com a mão direita, segurou o punho formado pelo tecido branco no sabre. Nessa posição, baixou os olhos em direção ao abdômen e, com a mão esquerda, massageou o baixo-ventre.

Para testar o corte da lâmina, o tenente dobrou a aba esquerda da calça, deixando parte da coxa exposta, e nela deslizou levemente o fio do sabre. O sangue verteu de imediato da ferida, e algumas linhas finas escorreram em direção às virilhas, brilhando sob a luz clara.

Reiko sentiu uma terrível palpitação ao

contemplar pela primeira vez o sangue do marido. Olhou para o rosto dele. Calmo, o tenente observava o sangue. Reiko experimentou um alívio momentâneo, embora soubesse se tratar de um consolo provisório.

Nesse momento o tenente lançou à esposa um olhar penetrante como o de um falcão. Colocou o sabre à sua frente, elevou-se sobre os quadris e inclinou a parte superior do corpo sobre a ponta da lâmina. Pela tensão nos ombros da túnica, percebia-se que estava reunindo todas as forças que possuía. Sem hesitação, o tenente mirou no flanco esquerdo do abdômen para nele cravar a lâmina profundamente. Um grito agudo perfurou o silêncio do quarto.

Não obstante toda a força que ele próprio aplicara, o tenente sentiu como se alguém o tivesse golpeado dolorosamente com uma espessa barra de ferro. Por um instante, sua cabeça girou, e ele não conseguia discernir o que acontecera. Os quinze ou vinte centímetros aparentes da lâmina se afundavam por completo em sua carne, e o tecido que envolvia o punho estava em contato direto com seu abdômen.

O tenente recobrou a consciência. Pensou que a lâmina certamente transpassara seu peritônio. Sua respiração era dificultosa, o coração batia acelerado, e numa região íntima e distante, que ele mal acreditava ser uma parte de si, sentiu brotar uma dor terrível, aguda, como se o chão tivesse se fendido e lava quente jorrasse dali. Essa dor lancinante se aproximava a uma velocidade vertiginosa. Involuntariamente, o tenente começou a gemer, mas se reprimiu, mordendo o lábio inferior.

Seria isso o haraquiri?, refletia. Era uma sensação confusa, como se o céu desabasse sobre sua cabeça e o mundo cambaleasse. Sua determinação e sua coragem, aparentemente tão sólidas antes do corte, reduziam-se agora a um fino fio de arame, ao qual, tomado pelo desespero, ele teria de abnegadamente se agarrar. O punho cerrado se tornara úmido e viscoso. Olhando para baixo, constatou que tanto o tecido branco quanto seu punho estavam completamente encharcados de sangue. A tanga também já estava tingida de um carmesim escuro. Era inacreditável que, em meio a essa violenta agonia, as coisas visíveis ainda pudessem ser vistas e as coisas existentes ainda existissem.

Reiko lutou consigo mesma para evitar correr ao encontro do tenente no instante em que ele introduziu a lâmina no flanco esquerdo do abdômen e ela viu o sangue se esvair de sua face como uma cortina que se fecha bruscamente. Não importava o que houvesse, devia olhar. Ser testemunha. Essa era a função que o marido lhe atribuíra. Do outro lado do tatame que os separava, ela via com nitidez o marido morder o lábio inferior para suportar a dor. O desespero se materializava com absoluta certeza diante de seus olhos. E Reiko nada podia fazer para livrá-lo dela.

O suor na testa do marido reluzia. O tenente fechou os olhos para logo em seguida reabri-los, como se os estivesse testando. Eles haviam perdido o brilho usual e pareciam inocentes e vazios como os de um animalzinho.

Diante dos olhos de Reiko a agonia resplandecia como um sol de verão, sem relação com a amargura que parecia lhe retalhar o corpo. O sofrimento ganhava maior envergadura. Esticava-se. Reiko sentiu que o marido já se tornara um ser do outro mundo, um prisioneiro numa jaula de agonia, em quem não se poderia tocar por mais que se estendesse a mão, e cuja completa existência se resumia em agonia. Mas ela não sentia dor alguma. Sua amargura era indolor. Pensando nisso, teve a sensação de que alguém acabara de erguer um cruel e alto muro de vidro entre ela e o marido.

Desde o casamento, a existência do marido se tornara a razão de sua própria existência, e cada respiração dele também era sua respiração. Agora, porém, que o marido existia claramente em meio à agonia, Reiko não conseguia obter em sua amargura nenhuma comprovação da própria existência.

O tenente tentou girar e puxar a ponta da lâmina apenas com a mão direita, mas ela se enroscou em suas vísceras e foi ligeiramente empurrada para fora por uma possível contração. Ele entendeu que deveria continuar a puxar, girando-a enquanto a pressionava com ambas as mãos, para mantê-la bem fundo no ventre. Foi o que fez. Ela não cortou tanto quanto ele esperara. O tenente tentou novamente, concentrando toda a força do corpo na mão direita. O corte feito tinha de dez a doze centímetros.

A agonia que se estendia gradualmente a partir do fundo do abdômen começou a reverberar por inteiro. Parecia o badalar desajeitado de um sino. E a cada respiração, a cada pulsação, a agonia abalava sua existência como mil sinos ressoando ao mesmo tempo. O tenente não conseguia mais conter os gemidos. Contudo, experimentou uma sensação de satisfação e coragem ao se dar conta de que a lâmina já rasgara até abaixo do umbigo.

O sangue aos poucos se avolumou, jorrando do corte como se palpitasse. O tatame diante do tenente estava encharcado do vermelho dos esguichos, e o sangue que se acumulava nas pregas da calça cáqui transbordou. Por fim, uma gota de sangue voou como um passarinho vindo de longe e pousou no quimono branco de Reiko, na altura do joelho.

Quando a lâmina finalmente chegou ao lado direito do estômago, já estava um pouco menos funda, revelando sua ponta nua, untada de sangue e gordura. O tenente, de súbito assaltado por ânsias de vômito, soltou um grito rouco. O vômito amplificou a dor excruciante, e o abdômen, que até então se mantivera rijo e compacto, de súbito se agitou, a ferida se abriu substancialmente e as vísceras saltaram, como em uma violenta excreção. Ignorando o sofrimento de seu dono, as vísceras apresentavam um aspecto saudável, de vitalidade quase indecorosa, escorrendo vividamente para fora e indo se acumular entre as pernas. O tenente abaixou a cabeça, seus ombros se movimentando ao ritmo da respiração, os olhos se entreabriram, e um fio de saliva lhe escorreu da boca. As insígnias douradas em seus ombros brilhavam.

Havia sangue por toda parte. O tenente desabara, com o corpo dobrado e apoiado em uma das mãos, imerso até os joelhos numa poça do próprio sangue. Um odor cruento se acumulava no cômodo; com a cabeça caída, os movimentos repetidos de vômito se mostravam nitidamente em seus ombros. Como se expelida pelas vísceras, a lâmina do sabre permanecia na mão direita do tenente, já aparecendo até a ponta.

Naquele momento, a imagem do tenente se esforçando para lançar a cabeça para trás era algo heroico e incomparável. Ele se inclinou tão abruptamente que se pôde ouvir com clareza o som da batida da parte posterior de sua cabeça no pilar do tokonoma. Reiko, que até então se mantivera cabisbaixa, observando absorta apenas a corrente de sangue que se aproximava de seus joelhos, ergueu a cabeça, espantada por esse som.

O rosto do tenente não era o de um ser vivo. Seus olhos se encovaram, a pele se ressecara e toda a beleza das faces e dos lábios se transformara em terra árida. Apenas a mão direita, que segurava pesadamente o sabre, se movimentava: com dificuldade, tremulava no ar como uma marionete, tentando conduzir a ponta da lâmina até a base da garganta. Assim, Reiko contemplava vividamente o mais penoso, infrutífero e derradeiro esforço do marido. A ponta da lâmina, reluzente de sangue e gordura, mirava uma e outra vez a garganta. Errava uma e outra vez o alvo. As forças já não eram suficientes. A ponta da lâmina fracassou e atingiu a gola, em seguida o distintivo na lapela. Apesar de o gancho estar solto, o rígido colarinho da túnica, propenso a se fechar, acabou por proteger da lâmina a garganta.

Por fim, não suportando mais essa visão, Reiko tentou se aproximar do marido, mas não conseguiu se pôr de pé. Ela se achegou a ele engatinhando através do sangue, manchando de um carmesim escuro a barra do quimono branco. Colocou-se atrás do marido e apenas o ajudou a afrouxar a gola. A trêmula ponta da lâmina finalmente roçou a garganta exposta. Nesse instante, pareceu a Reiko que ela empurrara o marido para a frente, mas não foi o que aconteceu. Fora um movimento intencional do próprio tenente, seu derradeiro resquício de força. Ele de súbito lançara o corpo sobre a lâmina, que lhe transpassou a nuca. Houve um abundante jorro de sangue, e o tenente se acalmou; sob a luz da lâmpada, a ponta azulada da fria lâmina sobressaía.

5

Reiko desceu lentamente as escadas, as meias patinhando por causa do sangue. O andar superior estava agora em completo silêncio.

Ela acendeu as luzes do andar térreo, verificou o bico e o registro de fechamento do gás, e apagou com água o fogo remanescente do braseiro. Parou em frente ao espelho vertical do cômodo de quatro tatames e meio e suspendeu a saia do quimono. O sangue fazia parecer que um padrão esplêndido e ousado havia se formado na parte inferior de seu quimono branco. Ao se sentar diante do espelho, as coxas muito frias, molhadas pelo sangue do marido, a fizeram estremecer. Passou um bom tempo se maquiando. Aplicou uma densa camada de ruge nas faces e um batom de cor intensa nos lábios. Não se maquiava mais para o marido. Aquela era uma maquiagem para o mundo que lhe restara, e havia algo de magnífico em suas pinceladas. Ao se levantar, o tatame defronte ao espelho estava embebido de sangue. Reiko não se incomodou com isso.

Foi em seguida ao banheiro e por último ficou de pé sobre o chão de cimento do vestíbulo. Quando o marido trancara a porta de entrada na noite anterior, fizera isso em preparação para a morte. Por um breve momento ela se manteve absorta em um pensamento simples. Deveria ou não deixar a porta destrancada? Se a mantivesse fechada, os vizinhos poderiam não perceber suas mortes por dias. Não desejava que seus corpos fossem encontrados já putrefatos. Seria melhor deixar a porta destrancada... Soltou o trinco e abriu ligeiramente a porta de vidro martelado...

No mesmo instante um vento frio soprou para dentro. Na rua, de madrugada, não havia viva alma, e podia-se ver estrelas reluzindo por entre o arvoredo da residência em frente.

Deixando a porta entreaberta, Reiko subiu as escadas. Como caminhara por toda a parte, suas meias não escorregavam mais. Já na metade da subida, um cheiro repugnante lhe assomou ao nariz.

O tenente jazia de bruços, engolfado em um mar de sangue. A ponta da lâmina projetada de sua nuca parecia se sobressair ainda mais que antes.

Reiko caminhou com calma através das poças de sangue. Sentou-se ao lado do cadáver e observou fixamente o rosto virado de lado sobre o tatame. O tenente tinha os olhos arregalados, como se possuído. Ela tomou a cabeça do marido em seus braços e a envolveu com a manga do quimono, enxugando com ela o sangue dos lábios dele, e deu-lhe um beijo de despedida.

Em seguida se levantou e retirou do armário uma manta branca nova e um cordão. Enrolou a manta à cintura e a prendeu firmemente com o cordão para que a barra do quimono não se desarranjasse.

Reiko sentou-se a uns trinta centímetros do corpo do tenente. Retirou a adaga da faixa na cintura e observou cuidadosamente a limpidez da lâmina antes de encostá-la na língua. O aço polido tinha um gosto levemente adocicado.

Reiko não hesitou. Ao refletir sobre o fato de que a agonia que antes a separara por completo do marido moribundo se tornaria agora parte de sua própria experiência, sentiu apenas a alegria de juntar-se ao mundo do qual ele já se apossara. No rosto agonizante do tenente ela percebia pela primeira vez algo incompreensível. Agora desvendaria esse enigma. Sentiu que finalmente também provaria a verdadeira doçura e amargura daquele grande princípio moral em que seu marido acreditava. Saborearia com a própria língua o que até agora vivera apenas vagamente por intermédio do marido.

Reiko encostou a ponta da lâmina na base da garganta. Empurrou-a com energia. O corte foi raso. Sua cabeça ardia e suas mãos se movimentavam desordenadas. Puxou com vigor a adaga para o lado. Algo morno jorrou dentro de sua boca, e diante de seus olhos tudo se avermelhou em um devaneio de sangue golfado. Reuniu todas as suas forças e cravou fundo a ponta da lâmina na garganta.

                              16 de outubro de 1960

Copyright © 1953 Herdeiros de Yukio Mishima. Todos os direitos reservados

Título original: 憂国 (Yūkoku)

Todos os direitos reservados pela Autêntica Editora LTDA. Nenhuma parte desta publicação poderá ser reproduzida, seja por meios mecânicos, eletrônicos, seja via cópia xerográfica, sem a autorização prévia da Editora.

EDITORA RESPONSÁVEL
Maria Amélia Mello

PROJETO GRÁFICO
Diogo Droschi

EDITORA ASSISTENTE
Rafaela Lamas

FOTOGRAFIA DE CAPA
Gettyimages/Bettmann

PREPARAÇÃO E REVISÃO
Cecília Martins
Darci Kusano
Sonia Junqueira

DIAGRAMAÇÃO
Waldênia Alvarenga

Dados Internacionais de Catalogação na Publicação (CIP)
(Câmara Brasileira do Livro, SP, Brasil)

Mishima, Yukio, 1925-1970
  Patriotismo / Yukio Mishima ; tradução Jefferson José Teixeira.
– 1. ed. – Belo Horizonte : Autêntica Editora, 2020.

  Título original: 憂国 (Yūkoku)

  ISBN 978-85-513-0519-5

  1. Ficção japonesa I. Título.

19-28559   CDD-895.63

Índices para catálogo sistemático:
1. Ficção : Literatura japonesa 895.63

Maria Alice Ferreira - Bibliotecária - CRB-8/7964

Apoio:

JAPANFOUNDATION
SÃO PAULO

GRUPO **AUTÊNTICA**

Belo Horizonte
Rua Carlos Turner, 420
Silveira . 31140-520
Belo Horizonte . MG
Tel.: (55 31) 3465 4500

São Paulo
Av. Paulista, 2.073, Conjunto Nacional
Horsa I, 23º andar . Conj. 2310-2312
Cerqueira César . 01311-940 São Paulo . SP
Tel.: (55 11) 3034 4468

www.grupoautentica.com.br

Este livro foi composto com tipografia Adobe Garamond Pro e
impresso em papel Off-White 90 g/m² na Formato Artes Gráficas.